CW00404035

Au fil des mots

Maria Lhermenier

Au fil des mots

Recueil

ISBN : 979-10-377-5966-5

Du même auteur

- *Divers' cités,* Éditions La Bruyère, 2018 ;
- *Nouvelle vie, poésie...* Éditions du Puits de Roulle, 2018 ;
- *Rêveries, poésies... Le voyage des âmes,* Éditions BoD, 2019, diplôme 2021 au prix de poésie Stephen Liégeard ;
- *Arrêt sur image,* Éditions Maïa, 2021 ;
- *Poésie d'un autre pays,* Le Lys Bleu Éditions, 2021.

Au bout de la patience,
Il y a le ciel

Proverbe touareg

Préface

Il arrive qu'au sein des réseaux sociaux se tissent des liens durables, de vraies rencontres.

Il y a un certain temps déjà que Maria Lhermenier et moi nous échangeons nos ouvrages. D'elle, j'avais déjà lu « Arrêt sur image », et « Poésie d'un autre pays », des poèmes lumineux et graves à la fois.

J'ai été très touchée qu'elle m'ait demandé de rédiger la préface de son nouveau recueil. Touchée une nouvelle fois par la douceur de ses mots, par sa volonté d'aimer, par sa manière de ressentir ce que le monde offre de plus beau. Maria révèle sans conteste un penchant naturel à « vivre en poésie ».

L'on y lira son amour des chats, de l'amitié, des autres ; l'on devinera aussi des épreuves, des blessures, des doutes et beaucoup de fragilité.

La nuit tombant,
Je ne dors pas,
Je pense à toi…

Ai-je seulement le droit
D'être heureuse sans toi ?

Ses textes sont un véritable hymne à la vie. Elle le sait, des petites joies peuvent éclater continuellement, pour peu que l'on prête attention au monde qui nous entoure.

Son bonheur, et la force pour continuer d'avancer, Maria Lhermenier, poétesse attachante, les puise dans sa propre écriture, mais aussi dans l'ouverture à l'autre, l'échange et la belle réciprocité.

Échanger des mots
Ne pas se regarder
Ne pas se toucher
Juste des mots
Pour se réchauffer
(...)
Je vous lis
Vous me portez
Je m'envole
Je l'écrirai

Vos mots me soignent
Je les ai dits moi aussi
Mes peines s'éloignent
Vous me redonnez vie !
(...)
Ces mots offerts et partagés,
Généreux et inspirés,
Un souffle pour aimer...

Martine Rouhart
Auteure,
Vice-présidente de l'Association des écrivains belges

Paroles de chats

Parole de chat

À l'abri sous mon tapis,
Au chaud, je réfléchis :

À l'oiseau, toujours plus haut,
À la souris, toujours partie…

Mais peu m'importe,
Ma maîtresse m'apporte :

De l'amour pour toujours,
De la pâtée, patte de velours,
Des caresses qui n'en finissent pas…
Je suis le roi !

Signé **Poupy**

À Poupy

Tu ne veux pas partir.
Je te regarde dans un soupir,
Toi le grand chaton,
Avec émotion…

Comme tu as grandi
Tu t'es assagi
En ce temps avec moi

Tu pars chez ta maîtresse
Tu me manques déjà
Dans toute ta tendresse
Mais je le sais, tu reviendras…

Happie

Happie

Quand je te vois
Allongée sur moi,
Confiante et ronronnant,
Abandonnée,
Je sais pourquoi j'aime tant les chats :

Tantôt chassés et méprisés
Tantôt adulés et adorés,
Ils nous ont toujours fascinés.
Toi, Happie, es loin de ça.
Dans ton rêve de liberté
Et d'amour partagé,
Tu t'endors dans mes bras…

Le chat

Le chat file
Dans les herbes se défile
Court après les papillons
Tel un petit chaton

Le chat revient et mange
Ses croquettes préférées
Puis s'installe et s'allonge
En boule sur le canapé

Puis il s'endort en ronronnant
Imaginant et rêvant
Qu'il se faufile dans les champs
Sous la caresse du vent

Mimie

Mon chat
Ma Mimie
Mon p'tit amour
Ma vie

De ton œil généreux
Tu me séduis
Nos instants sont chaleureux
Et pleins de vie

Quand je suis triste
Tu me distrais
Tu viens sur moi
Je suis consolée

Mon chat
Ma Mimie
Mon amie
Ma compagnie

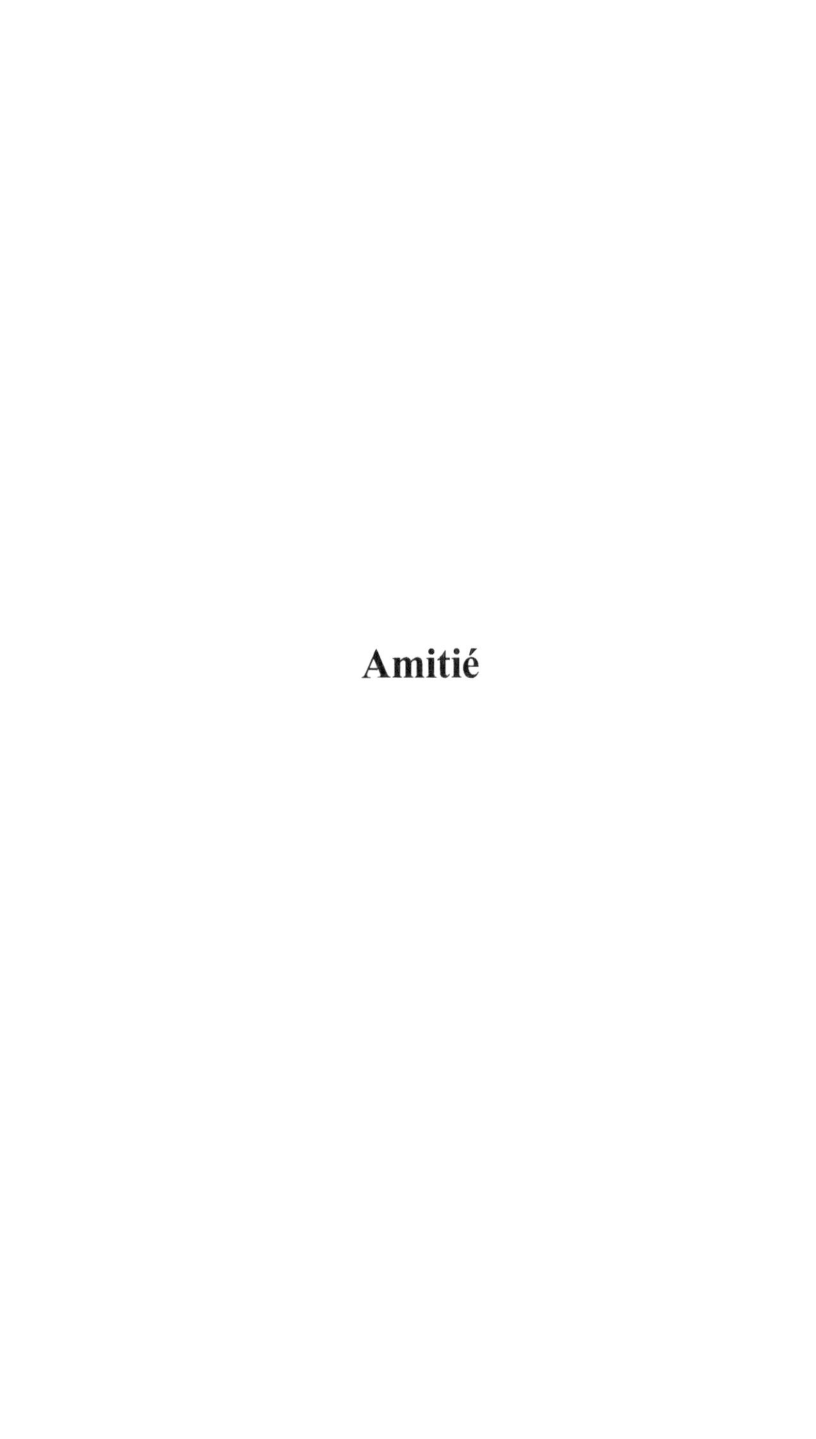

Amitié

À Martine Rouhart

Dans cet arbre creux,
Cet abri d'oiseaux,
Je mets à manger
Ainsi que de l'eau.
Pour se restaurer,
Ils viennent picorer
Voire se mettre au chaud…

Mais jamais longtemps :
Ils virevoltent au vent,
Avant de voler
Au-delà des cimes,
De leur grâce ailée
Dans un geste ultime…

Juste des mots

Échanger des mots
Ne pas se regarder
Ne pas se toucher
Juste des mots
Pour se réchauffer

À l’expresso

C’est un petit café sympa,
Avec ses serveuses :
Caroline, Manue, Maria
On y mange, on y fume, on y boit
On y partage ses peines et ses joies

Un café d’habitués
Où l’on aime à discuter
En buvant une bière ou un thé,
On aime à y philosopher
Sur le monde, sur la vie
Avec nos chers amis

Une larme peut se changer en sourire,
Soigner grands et petits maux
Bienvenue à *l’Expresso !*

Au creux de vous

J'avance à pas de loup
Me mets au creux de vous
Le plus doucement possible
Évaporée, invisible,
Pour chercher la chaleur
Au fond de vos cœurs

Vos confidences me sont douces
Même quand vous n'en dites pas plus.
Vos silences sont éloquents,
Je les comprends

Vos peines, vos joies, votre amour
Vous pouvez les partager,
Même vos difficultés :
Je viens à votre secours

Nous pourrons ensemble écouter
La musique de l'amitié
Qui peut tant apporter,
Nous apprendre à aimer

L’ami perdu

À toi l’ami perdu
De vue, d’amour, de vie
À toi que je ne vois plus
Tu demeures dans mon cœur meurtri

À toi qui es parti
Qui as quitté cette vie
Je garde en moi ton sourire
Ton visage, ton souvenir

À toi que j’ai aimé
Qui m’a abandonnée,
Pouvais-je imaginer
Être à ce point touchée ?

À toi l’ami perdu
De vie, d’amour, de vue,
À qui j’étais liée,
Jamais je ne t’oublierai

Amour

Haïku

Tes bras mon ami,
De cet arbre éternellement,
Amour végétal

Un seul cœur

Il y a toi
Il y a moi
En un seul cœur
Un seul bonheur

Mais ton absence
Me désespère,
À quoi je sers ?
À toi je pense…

C'est mon espoir
Unique chance
D'enfin comprendre
Ma seule présence

Un jour nouveau

Pas de mots compliqués
Pour dire « je t'ai aimé »
Juste, « tu vas me manquer »…

En attendant,
La nuit tombant,
Je ne dors pas,
Je pense à toi…

Ai-je seulement le droit
D'être heureuse sans toi ?
Qu'est la reine sans son roi ?

À ton retour
À l'aube du jour,
Renaîtra-t-il, l'amour ?
Certainement.
Heureux recommencement,
Pensais-je en m'endormant…

Une fleur au printemps

Une fleur au printemps
Prête à s'épanouir
Fera renaître l'espoir
Au fond de nos regards,
Rallumer nos désirs
D'entrelacer nos cœurs,
Et d'unir nos soupirs…

Ta venue

Dans ma vie, ta venue
A bouleversé mon cœur,
Mais tu as disparu,
Je crains qu'il ne se meure…

Fidèle

À toi, mon indicible,
Fidèle des fidèles,
Avec toi, je me sens belle
Je n'ai pas de secret pour toi.

Combien de choses je t'ai confiées,
Ma réserve, je l'ai oubliée.
Je me suis laissé découvrir, petit à petit
Dans tes bras, j'ai fait mon nid…

Mes amours passionnés
Me rongent les sangs
Me mènent, cruels amants,
Vers des désirs jamais comblés

Avec toi, tout est tendresse et simplicité.
C'est notre anniversaire ce jour,
Qu'importe le temps qui passe, mon amour
Je ne veux plus te quitter !

Visions poétiques

Géants de l'océan

Océan,
Je regarde émerveillée
Nager tous tes géants :
Baleines, orques ou raies

Géant des mers,
Tu te meus avec tant de grâce,
Impressionnante masse,
Avançant avec rigueur toutefois,
Tu danses, voles dans l'eau
Telle une raie manta

Ton attitude envers ton petit
N'est que tendresse et prévenance,
Avec amour, tu le nourris
Et lui enseignes la vie

Tu chantes dans les mers,
Dialogues avec tes congénères.
Que vous racontez-vous ?
Aviez-vous rendez-vous ?

Géants de l'océan,
Nous sommes bien incultes
Pour comprendre vos cultes…
Puissions-nous vous respecter, vous contempler
Pour toujours vous aimer…

La ritournelle

Une petite ritournelle
Qui rend la vie plus belle,
Un petit air chantant
Gai et entraînant

Un jardin au mois de mai
Où l'on cueille le muguet,
Où les arbres s'entremêlent
Formant une verte tonnelle,

Offrant son ombre à la maison
Sous les frondaisons,
Les arbres, éclairés par le soleil
Laissent passer la lumière

Sous le vent les branches tressaillent,
Et les oiseaux piaillent,
Chantant cette petite ritournelle
Qui rend la vie plus belle

L’échappée belle

Le sable du temps
Entre mes doigts s’égrène,
Les minutes passant,
Me donnant de la peine

Mais mon esprit s’évade de temps en temps
Part en promenade, en imaginant :

Des contrées verdoyantes,
Une terre lumineuse,
Des vallées chantantes,
Des couleurs merveilleuses…

Puis, coincée au bureau, j’atterris…
Mais ce pays imaginé
J’aimerais le partager,
Je vous l’offre volontiers,
Si cela m’est permis
À l’infini !

Lumière bienfaisante

Lumière
Dans ma maison verrière,
Ciel bleu,
Rend joyeux

Dans nos regards
Brille l'espoir,
Et le soleil
Nous émerveille

Dans l'ombre des rayons,
La vie explose à foison

Dieu de tout cela,
Lumière bienfaisante,
Diffuse-la,
Évanescente…

Vivre

Aimer la vie

Qu'est-ce qu'aimer la vie ?
Lui trouver un sens,
Oui cela suffit !

Mais quand le soir viendra,
Quand le jour s'enfuira,
Je penserai à toi
Une dernière fois,
Avant que mes vers
Ne tombent dans l'oubli
Je dirai que, oui,
J'aimais tant la vie…

On naît, on part

On naît, on part…
Qu’y a-t-il entre ce temps ?
On perd puis retrouve l’espoir
De s’aimer, de se revoir
Peines souvent,
Joies sûrement…
Quand revient enfin le printemps !

Inspiration

Vivre et aimer
Être bien inspiré,
Le quotidien est un art
Et le bonheur aussi,
Où chacun prend sa part
Pour embellir la vie…

Guérison

Changer de repère
Sortir de sa sphère
Oublier le cancer…

Avec la guérison,
Retrouver l'horizon…

Petit miracle

Être heureux :
D'un p'tit coup de fil,
Une porte qui sonne,
Un courrier du cœur…
Comme recevoir un bouquet de fleurs

Une journée de sourire
Passée avec plaisir,
Une journée qui finit
Avec les amis,
Pour oublier la nuit…

Qu'ai-je fait de mes 20 ans ?

À Léa, Julia, Bastien et Dune

Qu'ai-je fait de mes 20 ans ?
Cette espérance immense
Cette dose d'inconscience
Où j'aimais tous les gens ?

Je voulais changer le monde
Sauver la planète
Que tous entrent dans la ronde
Être toujours en fête…

Qu'ai-je fait de tout cela ?
J'ai chuté plusieurs fois…

Mais je ne veux abandonner
Nièces et neveu adorés
Pour vous qui, maintenant
Avez 20 ans

Tout espoir est permis
À qui aime la vie !

Covid

Les humains peuvent-ils mourir
D'un mal mystérieux qui voudrait les détruire ?

En apparence, tout s'arrêtait.
En fait, la vie continuait.
Seuls, nous étions cloîtrés,
Mais la nature revivait !

Sortis d'un long sommeil,
Nous renaissons à la vie.
Et tel le soleil
Au levant de l'oubli,
Nous espérons à nouveau
Retrouver les amis…

Vers le ciel

Parfois, j'aimerais mourir
Jusqu'à m'évanouir,
Me laisser transporter
Par les vapeurs et les fumées,

Laisser passer le temps
Comme le sable s'égrenant
Entre mes mains élancées
Vers un ciel, espéré…

Suivre le fil

Suivre le fil
De nos pensées
De la raison, subtil
De nos amours, fragiles,
Le fil ténu d'une vie
Ici, aujourd'hui
D'un présent qu'on réussit…

Écrire

Haïkus

Papier et crayon
Et seule, l'inspiration
C'est la poésie

La respiration
Mélange de tous sens, visions
Éclairent l'écrit

Écriture (1)

Si je devais écrire
Que dirais-je aujourd'hui ?
Qu'ai-je donc à construire
Sinon ce que je vis ?

Pourtant il est un monde
Où je peux exprimer,
Échappée à la tombe,
Ce qu'est la liberté

Au poète les mots
Venus du plus profond,
Dire quelque chose de beau
Doux comme une chanson…

Écriture (2)

La source tarie
Tarie par la vie
Séchée par le vent
Soufflant au levant…

Mais demain renaîtra
À nouveau chantera
Viendra l’inspiration
Dire encore l’émotion…

Passion des mots

Quand le calme revient
Lorsque tu es loin
J'entends une voix
Qui chante au fond de moi…

Les mots renaissent
Comme une caresse,
Une libération
Retrouvant la passion :

La passion des mots
Qui me manquaient trop
Instants de vraie grâce,
Attendant que tu passes…

Poètes, je vous lis

Je vous lis
Vous me portez
Je m'envole
Je l'écrirai

Vos mots me soignent
Je les ai dits moi aussi
Mes peines s'éloignent
Vous me redonnez vie !

Je les retrouverai,
Ces mots offerts et partagés,
Généreux et inspirés,
Un souffle pour aimer…

Fêtes 2021-2022

Noël (2021)

Un sapin allumé
Un Noël enneigé,
Une lueur adoucit
Ce matin un peu gris

Lorsque les invités
Seront tous réunis
D'un seul cœur tissé
Par d'invisibles fils,
Nous serons réchauffés
Et enfin réjouis…

« Qu’une étoile luise… »

Une étoile

Qu'une étoile luise
Au-delà de nos nuits
Danse dans nos yeux, nos cœurs
Et anime nos vies

Vœux 2022

Dans ces temps difficiles
Gardons le cap, suivons le fil
Continuons à rêver
Pour tout supporter, et aimer…

Remerciements

J'offre mon inspiration
Aux épreuves, aux passions
Aux amours, aux amis
Qui animent ma vie

Une pensée pour la gent féline, tous ceux qui la côtoient et l'aiment. Elle m'apporte fidèlement joie et réconfort…

Un merci particulier à ceux qui luttent pour humains et animaux malmenés par la vie. Ils sont une voix pour ceux qui n'en ont pas…

Table des matières

Imprimé en Allemagne
Achevé d'imprimer en avril 2022
Dépôt légal : avril 2022

Pour

Le Lys Bleu Éditions
40, rue du Louvre
75001 Paris